maravilhas do Brasil

wonders of Brazil

Todos os direitos desta edição foram cedidos à

Escrituras Editora e Distribuidora de Livros Ltda.
Rua Maestro Callia, 123
Vila Mariana – São Paulo, SP – 04012-100
Tel.: (11) 5904-4499 / Fax: (11) 5904-4495
escrituras@escrituras.com.br
www.escrituras.com.br

Dados Internacionais de Catalogação na Publicação (CIP)
(Câmara Brasileira do Livro, SP, Brasil)

Palo Júnior, Haroldo
   Maravilhas do Brasil : paisagens = Wonders of
Brazil: landscapes / Haroldo Palo Jr.;
texto/text Camile Mendrot ; tradução/translation
Douglas Victor Smith]. – 2.ed. – São Paulo:
Escrituras Editora, 2010. – (Maravilhas do Brasil)

   ISBN 978-85-7531-398-5

   1.Paisagem – Brasil 2.Paisagem – Fotografias –
Brasil I. Mendrot, Camile. II. Titulo.
III.Titulo: Wonders of Brazil: landscapes.
IV. Série.

10-12526   CDD-779.3681

Índice para catálogo sistemático:
1. Paisagem brasileira : Fotografias 779.3681

Obra em conformidade com o Acordo
Ortográfico da Língua Portuguesa

Impresso no Brasil
Printed in Brazil

Diretor editorial/*Editorial director*
Raimundo Gadelha
Coordenação editorial/*Editorial coordination*
Mariana Cardoso
Assistente editorial/*Editorial assistant*
Ravi Macario
Fotografia/*Photograph*
Haroldo Palo Jr.
Assistente de fotografia/
Photograph assistant
Christian Quirino Spoto
Redação/*Text*
Camile Mendrot
Tradução/*Translation*
Douglas Victor Smith
Projeto gráfico, capa e tratamento de imagens/
Graphic design, cover and images treatment
Vaner Alaimo
Editoração eletrônica/*Eletronic publishing*
Herbert Junior
Renan Glaser
Vaner Alaimo
Revisão/*Proofreading*
Jonas Pinheiro
Juliana Ferreira da Costa
Karina Danza
Impressão/*Printer*
Gráfica Edições Loyola

Haroldo Palo Jr.

Texto/text: Camile Mendrot

Paisagens   Landscapes

2ª edição

escrituras

São Paulo, 2010

Florestas e mar, praias e montanhas, cachoeiras e matas, grutas e picos, lagos e igarapés... Manifestações naturais do nosso País que compõem um majestoso e deslumbrante cenário. A eloquência da Mãe Natureza que hipnotiza nossos olhos e enternece nossos corações ao mostrar-nos sua habilidade de moldar as lindas formas e agir com perfeição, ao dar pinceladas carregadas com as mais distintas matizes.

Ao mesmo tempo em que sabemos que a ação do homem opõe-se à natureza, podendo até mesmo dizimá-la, temos aqui provas e registros de que a convivência harmônica é possível e favorece a coexistência de ambos. Desta forma, são preservadas as idiossincrasias de cada bioma e é assegurado o respeito aos habitantes nativos da região – sejam eles pertencentes à fauna ou à flora – e aceita a supremacia desta Mãe Natureza.

De norte a sul, de leste a oeste: ecossistemas distintos, peculiaridades surpreendentes, diversidades latentes. Nosso País é rico em sua natureza e extremamente belo em sua existência, aqui desvelada em cenários paradisíacos, que nos encantam e motivam-nos a interagir com as maravilhas do Brasil.

Maravilhas estas reveladas em momentos, algumas vezes, até rotineiros, comuns... Mas habilmente registrados pelas lentes do talentoso Haroldo Palo Jr. e, desta forma, têm eternizadas toda sua magia e grandiosidade.

Maravilhas do Brasil – Paisagens não é apenas um livro, mas sim um convite para conhecermos o Brasil, viajando pelo País por meio destas páginas, e surpreendendo a mais criativa das imaginações com paisagens inebriantes e, certamente, inesquecíveis.

Os editores

Forests and sea, beaches and mountains, waterfalls and fields, caverns and peaks, lakes and bayous... These natural manifestations of our country compose a majestic and wonderful setting. The eloquence of Mother Nature hypnotizes our eyes warms our hearts when she shows off her skill with beautiful shapes and perfect actions, when she makes bold strokes with distinct colors.

At the same time that we know that human actions can work against Nature, even to the point of practically decimating it, here we have recorded proof that it is possible to live together harmoniously, maintaining a peaceful coexistence. In this way, the particularities of each biome are preserved and the region's native inhabitants are respected – whether flora or fauna – and the matchlessness of Mother Nature is accepted.

North to south, east to west: distinct ecosystems, amazing peculiarities, latent diversity. Our nation displays a wealth of extremely beautiful natural attributes, revealed here in paradisiacal settings that charm us and stir us to interact with the wonders of Brazil.

These wonders are showcased, sometimes, in routine settings... But they are skillfully recorded by the lenses of talented Haroldo Palo Jr. and, thus, their mystique and magnificence are perpetuated.

Wonders of Brazil – Landscapes is not merely a book, but, rather, an invitation to see Brazil, traveling throughout the country in these pages, and surprising the most creative imaginations with exhilarating and, undoubtedly, unforgettable scenery.

The editors

Introdução

Em *Maravilhas do Brasil – Paisagens*, Haroldo Palo Jr. deleita-nos com a beleza natural dos recônditos brasileiros e brinda-nos com um testemunho de sua trajetória profissional. Nela percebe-se nitidamente o olhar do fotógrafo ultrapassando seu objetivo primeiro para revelar a alma do ser humano, que, tal como nós, inebria-se com a grandiosidade da paisagem e, consequentemente, cria um pacto para preservar e defender a natureza.

Com isso, as imagens aqui contidas representam o esplendor do nosso País, e também o engajamento necessário a cada um de nós para conservar nossa fauna, flora e recursos naturais.

Nós, da Fundação SOS Mata Atlântica, amantes da natureza – sobretudo a brasileira – acompanhamos registros desses cenários, de seus habitantes e de histórias de comprometimento com especial entusiasmo. Desde a intensificação dos alertas ao mundo, no final da década de 1980, em relação aos danos que o homem vem causando ao meio ambiente e aos brutais resultados dessas ações, desdobramo-nos para conscientizar as pessoas de que nossa riqueza natural é vasta e necessita de extremos cuidados e atenção.

É impossível manter-se indiferente às imagens captadas pela lente do fotógrafo, as cenas encantam, comovem e promovem um sem-número de emoções: desde alegria e êxtase perante a tão belas paisagens, muitas vezes desconhecidas por nós, à indignação diante da degradação de alguns ecossistemas, culminando no ímpeto para desenvolver ações a fim de salvá-los. Na essência, estamos todos unidos pelo mesmo objetivo: a preservação da natureza. Há, portanto, uma grande cumplicidade entre a percepção da natureza celebrada por profissionais da imagem, aqui representados por Haroldo, e ações de movimentos ambientalistas, como as da SOS Mata Atlântica.

Com estas primorosas fotografias, podemos admirar as maravilhas deste Brasil e aprender que só as conhecendo conseguiremos preservá-las e protegê-las dos estragos que nós, humanos, causamos. *Maravilhas do Brasil – Paisagens* oferece-nos belas cenas de todo o País, na qual podemos aprazer-nos com incríveis imagens de diversas áreas naturais, refúgios onde as riquezas de nossa biodiversidade afloram e saltam aos nossos olhos. Tão incríveis fotografias também são o resultado do árduo trabalho e do talento do fotógrafo, que habilmente enfrenta situações muitas vezes adversas, e rompe limites para embrenhar-se na natureza e, em um grande exercício de paciência e extrema sensibilidade, capturar instantes ímpares e de rara magia.

Assim, reconhecemos a cumplicidade com a natureza nas expressões de Haroldo Palo Jr. e no trabalho apresentado na coleção *Maravilhas do Brasil*, publicada pela Escrituras Editora. São iniciativas alinhadas à nossa atuação (e de diversas outras organizações brasileiras) na sociedade, representando a bandeira de uma importante luta que traduz fielmente os nossos ideais.

Desfrute de *Maravilhas do Brasil – Paisagens* e viaje com Haroldo Palo Jr. pelo nosso País!

Mario Mantovani
Diretor de Mobilização da Fundação SOS Mata Atlântica

Introduction

Introduction

In Wonders of Brazil – Landscapes, *Haroldo Palo Jr. delights us with the natural beauty of the four corners of Brazil and raises a toast in testimony to his professional career. Here, we clearly see the photographer's eye going beyond his primary objective to reveal the soul of a person who, like us, is in awe of the majestic scenery and, as a result, makes a commitment to preserve and defend Nature.*

Therefore, these images represent the splendor of our country, as well as the involvement needed by each of us to conserve our fauna, flora and natural resources.

We, of the SOS Mata Atlântica Foundation, love Nature – above all, Brazil's – and we enthusiastically keep track of works that record its scenery, its inhabitants and stories of commitment. Ever since the intensification of alerts to the world at the end of the '80s, regarding the damage that human beings are causing to the environment and the brutal results of those actions, we have redoubled our efforts to make people aware that our natural wealth is vast and demands extreme measures for its care and preservation.

It is impossible to remain indifferent to the images captured by the photographer's lenses; the eye-catching scenes stir us and foment countless feelings: from joy and ecstasy at such outstanding scenery, with which we are often unfamiliar, to indignation at the devastation of several ecosystems, culminating in an impetus for developing actions for saving them. In essence, we are all united by the same objective: the preservation of Nature. Therefore, a close relationship exists between this perception of Nature by image professionals, represented in this case by Haroldo, and the actions of environmental movements, like SOS Mata Atlântica.

With these exquisite photographs, we admire the wonders of this Brazil and learn that only by becoming familiar with them can we preserve and protect them from the harm that we humans cause. Wonders of Brazil – Landscapes *showcases marvelous scenery from all over the country, where we can enjoy incredible images from a variety of Brazilian nature areas – refuges where the wealth of our*

biodiversity flourishes and is imprinted on our sight. Such incredible photographs also are the result of the hard work and talent of the photographer who skillfully faces often adverse situations and breaks barriers, in order to infiltrate Nature and, with great patience and sensitivity, capture singularly magical moments.

In this way, we recognize the synergy with Nature expressed by Haroldo Palo Jr. and in the work presented in the Wonders of Brazil collection, published by Escrituras Editora. These initiatives are in line with our involvements (and those of several Brazilian organizations) in society, waving the flag of an important struggle and faithfully representing our ideals.

Enjoy Wonders of Brazil – Landscapes while you travel around our country with Haroldo Palo Jr.!

Mario Mantovani
Director of Mobilization of the SOS Mata Atlântica Foundation

Parque Estadual Carlos Botelho (SP)

O Parque Estadual Carlos Botelho é um reduto de fauna e flora ainda preservadas da Mata Atlântica, onde rios, grandes árvores, orquídeas e bromélias interagem com animais como jacutingas e onças-pintadas, mostrando-nos a riqueza natural de nosso País.

Carlos Botelho State Park (SP)

Carlos Botelho State Park is home to flora and fauna preserved from the Atlantic Rain Forest, where rivers, large trees, orchids and bromeliads interact with such animals as the black-breasted piping-guan and the jaguar, showcasing the natural wealth of our nation.

Belmonte (BA)

Belmonte, na costa da Bahia, foi rebatizada com este nome em homenagem à terra natal de Pedro Álvares Cabral. Acredita-se que o principal rio dali, o Jequitinhonha, foi responsável por lançar troncos de árvores e plantas ao mar, sinalizando para a esquadra portuguesa, chefiada pelo navegante, a existência de terra na região.

Belmonte (BA)

Belmonte, on the coast of Bahia, was given this name in honor of the birthplace of Pedro Álvares Cabral, the discoverer of Brazil. It is thought that the main river in the region, the Jequitinhonha River, was the one from which tree trunks and plants floated out into the ocean, signaling the proximity of land to the squadron led by the Portuguese navigator.

Serra dos Órgãos – Macaé (RJ)

Somente uma silhueta, mas é nítido o que vemos: blocos rochosos na Serra dos Órgãos de onde se pode avistar, em dias claros, a cidade do Rio de Janeiro.

Organ Highlands – Macaé (RJ)

It is only a silhouette, but the image is clear: chunks of rocks in the Organ Highlands, from which you can see Rio de Janeiro, on a clear day.

Cactos – Região do Seridó Oriental (PB)

Localizada no sertão nordestino, a região do Seridó Oriental abrange parte do Rio Grande do Norte e da Paraíba. Apresenta-nos uma paisagem incomum a outras regiões brasileiras, mas nem por isso menos bela: seus cactos, com seu verde mais contido, seus espinhos e suas flores, adornam o solo seco do sertão.

Cacti – Eastern Seridó region (PB)

Located in the northeastern backlands, the Eastern Seridó region covers part of the states of Rio Grande do Norte and Paraíba, and offers us scenery rarely found in other Brazilian regions, but no less beautiful: its cacti, with their subdued shade of green, thorns and flowers, adorn the dry soil of the backlands.

Rio Branco – Boa Vista (RR)

A paisagem de Roraima é lúdica... Podemos brincar de adivinhar com o que se parece as nuvens do seu céu, as quais dão a impressão de serem feitas de algodão. Ou somente admirar esta vista e deixar-se embasbacar por extrema maravilha.

Branco River – Boa Vista (RR)

The scenery in Roraima is playful... We can guess about the shapes of the clouds in the sky, that seem to be made of cotton. Or merely admire the view and gape in breathtaking wonder.

Monte Roraima (RR)

O Monte Roraima é inigualável por seu topo plano e pelos milhões de litros de água que escorrem dele, formando várias cachoeiras. Adorna quase que divinamente o extremo norte do Brasil, o sul da Venezuela e o oeste da Guiana, formando uma tripla fronteira repleta de esplendor.

Mount Roraima (RR)

Mount Roraima is unequaled with its flattened top and by the millions of liters of water that run down the mountain, forming many waterfalls. It beautifies, with almost divine brilliance, the far north of Brazil, southern Venezuela and western Guyana, forming a triple border of regal splendor.

Marechal Thaumaturgo (AC)

A cidade de Marechal Thaumaturgo, berço da terra indígena Ashaninca, preza suas origens e suas paisagens; orgulha-se de ter raízes indígenas, de pertencer à região amazônica e de ser banhada pelo Rio Juruá, que além de lhe emprestar sua beleza, também é um excelente canal de transporte na região.

Marechal Thaumaturgo (AC)

The city of Marechal Thaumaturgo, the home of the Ashaninca indigenous lands, values its origins and its scenery. It is proud of its indigenous roots, of belonging to the Amazon region, and of being on the banks of the Juruá River that, besides lending its beauty, is also an excellent transportation channel in the region.

Bromélia – Cambará do Sul (RS)

Com suas espigas florais exuberantes e resistentes, a bromélia enfeita a Mata Atlântica por um longo período, dando um colorido especial à região sul do Brasil, onde floresce com maior frequência.

Bromeliad – Cambará do Sul (RS)

With its lush and strong floral spears, the bromeliad beautifies the Atlantic Rain Forest for a long time, bringing a special coloring to southern Brazil, where it bears flowers more frequently.

Canal de São Sebastião – Serra do Mar (SP)

A gama de cores do entardecer da praia paulista vibra aos nossos olhos e inebria talentosos pintores ou simples turistas que passeiam por sua orla.

São Sebastião Waterway – Ocean Highlands (SP)

The range of colors in the late afternoon on a São Paulo beach shimmers before our eyes and mesmerizes talented painters or mere tourists who visit the shoreline.

Pedra do Camelo – Parque Nacional de Sete Cidades (PI)
Em meio a uma vegetação de transição, que ora se parece com a caatinga, ora com o cerrado, as Sete Cidades revelam-nos muitas manifestações da natureza, no mínimo inusitadas, como a Pedra do Camelo, na Quinta Cidade, que lembra a forma de um tipo de camelo, o dromedário, com uma única corcova.

Camel Rock – Seven Cities National Park (PI)
In the midst of transitional type vegetation, that sometimes looks like caatinga and at other times like bush country, the Seven Cities reveal many unique manifestations of Nature, like Camel Rock, at the Fifth City, which reminds us of a dromedary, with one single hump.

Fazenda Primavera – Aporé (GO)

A região de Aporé, no sul de Goiás, é rica em manifestações de flora: aqui, buritis e pindaíbas adornam o rio, não só nascendo em seu entorno, mas também se refletindo em suas águas com a ajuda do pôr do sol.

Primavera Ranch – Aporé (GO)

The Aporé region, in southern Goiás, has a wealth of manifestations of its flora: here, burity palms and pindaíba trees adorn the river, not only growing along its banks, but also reflecting on the waters in the light of the sunset.

Costa rochosa – Guarapari (ES)
O mar bate na encosta e suas águas azul-esverdeadas contrastam com o cinza das rochas que delimitam a praia e tomam a feição de um mirante, frente à bela imensidão do oceano.

Rocky coast – Guarapari (ES)
The ocean wears at the slopes and its blue-green waters contrast with the hard, gray rocks that set off the beach and appear to be a lookout site for observing all of the beautiful vastness of the sea.

Formação rochosa – Passa e Fica (RN)
Qualidades diferentes se contrastam: a solidez das rochas e a leveza das nuvens. Diversidades que se completam e transformam a paisagem do Rio Grande do Norte em uma cena que nos convida a interagir com a natureza.

Rock formation – Passa e Fica (RN)
Contrasting qualities: hard rocks and light clouds. This diversity completes and transforms the scenery of Rio Grande do Norte into a setting that invites us to interact with Nature.

Parque Estadual Vila Velha – Ponta Grossa (PR)

Olhar e imaginação perdem-se divagando por quais caminhos seguirá este horizonte; nem a muralha ao fundo detém este pensamento. Em vez disso, guia-nos para além dessas barreiras, onde esta paisagem não é perene e manter-se-á fixa em nossa memória.

Vila Velha State Park – Ponta Grossa (PR)

The eyes and the imagination wander along the horizon. Not even the wall in the background inhibits our wonder but, rather, draws us beyond the barrier, where this scene is no longer perennial, but remains imprinted on our memory.

Ribeirão Mascates – Serra do Cipó (MG)

As inúmeras pedras no fundo do ribeirão Mascates transformam as águas em um grande mosaico ensolarado, rodeado de muito verde e enorme paz. Um panorama fenomenal dentro do Parque Nacional da Serra do Cipó.

Mascates River – Cipó Highlands (MG)

The countless stones in the bottom of Mascates River transform the waters into a grand, sunlit mosaic, surrounded by greenery and enormous peace. A phenomenal panorama inside Cipó Highlands National Park.

Ruínas – Alcântara (MA)
As belas paisagens brasileiras também formam-se da combinação da natureza com a ação do homem. Estas ruínas, no Maranhão, revelam nosso passado e marcam nosso presente com todo seu charme e mistério.

Ruins – Alcântara (MA)
Brazil's gorgeous scenery also is formed by a combination of the acts of human beings and those of Nature. These ruins, in the state of Maranhão, reveal our past and leave their mark on our present, with charm and mystique.

Preguiça-de-bentinho – Imperatriz (MA)

No topo da árvore, com o dorso voltado para baixo, a preguiça-de-bentinho move-se lentamente em busca de frutos, pendura-se querendo diversão e pacificamente descansa.

Bentinho sloth – Imperatriz (MA)

In the top of the tree, and upside down, a bentinho sloth slowly searches for fruit, hangs just for the fun of it, and rests peacefully.

Vazante do Rio Cuiabá – Barão de Melgaço – Pantanal (MT)
A vazante do Rio Cuiabá nos dá a impressão de estarmos em um imenso mar interior, onde os morros e os
terrenos elevados transformam-se em ilhotas cobertas de vegetação e que servem de abrigo a muitos animais quando sobem
as águas.

Cuiabá River Basin – Barão de Melgaço – Pantanal (MT)
The Cuiabá River basin gives the impression that we are on an immense inland sea, where the hills and elevated terrain are islets
covered with vegetation that is home to many animals fleeing the rising waters.

Trinta-réis-de-bico-vermelho – Mostardas (RS)
A revoada de trinta-réis-de-bico-vermelho enfeita uma das praias de Mostardas. As aves trinta-réis formam um alvoroço cheio de alegria na praia, onde também desfrutam da areia, do mar e da luz do sol.

South American Terns – Mostardas (RS)
The South American terns, in flight, decorate one of the beachs at Mostardas. The trinta-réis *chatter happily on the beach, where they also enjoy the sand, the sea and the sunlight.*

Serranópolis (GO)

Serranópolis, a antiga Serra do Café, atrai a atenção do homem não só por suas virtudes naturais – como cachoeiras, corredeiras e reservas de cerrado, mas também por abrigar sítios arqueológicos os quais indicam que o local já era habitado há mais de 11.000 anos por nativos do nosso continente.

Serranópolis (GO)

Serranópolis, the former Serra do Café (Coffee Highlands), attracts the attention of visitors not only with its natural gifts, such as waterfalls, rapids, and bush country reserves, but also for its archeological sites that indicate that the place was inhabited over 11,000 years ago by natives from our continent.

Estação da seca – Pantanal (MT)
Durante a estação da seca, o entardecer no Pantanal transforma o Sol em uma bola incandescente,
que ilumina o céu e concede um colorido vibrante à paisagem frágil e acinzentada.

Dry season – Pantanal (MT)
During the dry season, late afternoon in the Pantanal transforms the sun into an incandescent ball
that lights up the sky and drenches with vibrant color the fragile and gray scenery.

Arara-vermelha – Mata no Pará

Admirada por suas cores vibrantes, a arara-vermelha é uma exímia voadora, que pode alcançar a velocidade de 56 km/h.

Red macaw – A vegetation in the state of Pará

The red macaw is enjoyed for its vibrant colors. It has many fascinating qualities, for instance, it can fly as fast as 56 km/h.

Rio São Lourenço – Estação da cheia – Pantanal (MT)

O Rio São Lourenço sulca com perfeição a mata fechada do Pantanal. Parece que seu leito corre brincando com a vegetação ao fazer um zigue-zague lúdico que extasia quem o observa do alto e auxilia os pescadores que buscam alimentos em suas águas.

São Lourenço River – Flood season – Pantanal (MT)

The São Lourenço River perfectly plies the dense growth of the Pantanal. It seems to flow on its way while enjoying the vegetation with a playful zigzag path that thrills those who watch from above, and it aids fishermen who look for food in its waters.

Anoitecer – Parque Nacional de Ubajara (CE)
Do alto da colina, tudo parece uma aquarela: o céu rosado, as rochas praticamente azuis, ao fundo a neblina que se aproxima... Isso só pode ser obra de um grande artista que brinca com a natureza e faz nosso olhar irromper em uma grande emoção.

Nightfall – Ubajara National Park (CE)
At the top of the hill, everything looks like a watercolor painting: the rose-colored sky, the practically blue rocks and the oncoming fog in the background... This could only be the work of a great artist who plays with Nature and draws our eyesight with great emotion.

Cachoeira Véu da Noiva – Serra do Cipó (MG)
O ribeirão Soberbo, que deságua no Rio Cipó, dá origem à cachoeira Véu da Noiva, uma das atrações mais conhecidas fora do Parque Nacional da Serra do Cipó. Ela possui uma queda d'água em meio a um paredão de rochas de mais de 60 m de altura, que encanta os amantes do *canyoning*.

Bridal Veil Falls – Cipó Highlands (MG)
Soberbo River, which is a tributary of the Cipó River, is the source of Bridal Veil Falls – one of the main attractions outside of Cipó Highlands National Park. It drops down a rock wall for over 60 m and is a favorite of canyon enthusiasts.

Imbituba (SC)

A textura de suas areias, a suavidade de suas dunas, tons pastéis que se misturam ao verde vivo das matas e ao azul vibrante de suas águas cristalinas dão a Imbituba lindas paisagens, incluindo a Praia do Rosa, considerada uma das 30 baías mais bonitas do mundo.

Imbituba (SC)

The texture of its sand, the soft lines of the dunes, the pastel shades that blend with the vivid green of the vegetation and the vibrant blue of the crystal clear waters give Imbituba outstanding scenery, such as Rosa Beach, which is on the list of the 30 most beautiful bays in the world.

Ilha de Maracá – Amajari (RR)
O entardecer na Ilha de
Maracá torna-se sublime com
seus matizes de amarelo e laranja
que deitam sobre as terras e as
águas desta reserva biológica,
que marca a transição entre a
selva amazônica e o cerrado.

Maracá Island – Amajari (RR)
Late afternoon on Maracá Island
sublimely casts yellow and orange
tones over the land and water of
this biological reserve that marks the
transition between the Amazon forest
and the bush country.

Garças – Pantanal (MT)

Em revoada, as garças planam sobre as águas pantaneiras. Depois, descansam sobre os galhos secos de suas margens à espera de insetos, enfeitando esses campos com sua alva plumagem.

Egrets – Pantanal (MT)

The egrets glide over the Pantanal waters, then rest on the dry branches on the riverside, awaiting the appearance of insects, adorning these fields with their brilliant white plumage.

Peixe-borboleta – Belém (PA)

Este lindo e delicado peixe, de corpo brilhante e extremamente colorido, consegue saltar na superfície da água, praticamente alçando pequenos voos.

Butterfly fish – Belém (PA)

This delicate and pretty fish with a brilliant and colorful body can jump out of the water, on what could be considered short flights.

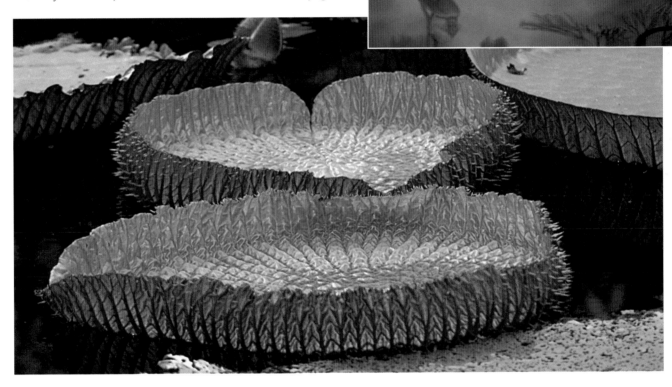

Vitória-régia – Belém (PA)

A vitória-régia ornamenta a superfície das águas, concedendo-lhe o colorido de seu verde, que reluz sob o sol, e enfeitando o rio com suas belas flores. Suas folhas arredondadas podem tomar grandes dimensões, chegando a 2,5 m e suportando até 40 kg – o que significa que ela pode transformar-se no "berço" de um jacaré bebê sem afundar.

Victoria Regia – Belém (PA)

The Victoria Regia adorns the surface of the water, lending its shades of green that shine in the sunlight and its beautiful flowers. Its round leaves can grow up to 2.5 m wide and sustain as much as 40 kg of weight – which means that it can become the "cradle" of a baby alligator, without sinking.

Vila Velha – Ponta Grossa (PR)

A natureza em perfeita combinação de elementos distintos, mas que unidos nos propiciam uma sensação agradável de prazer. É esta harmonia que nos cativa e faz-nos desfrutar de toda a beleza do Paraná.

Vila Velha – Ponta Grossa (PR)

Nature forms a perfect combination of distinct elements that, together, are pleasant to behold. It is this harmony that attracts us to enjoy all the beauty of the state of Paraná.

Encontro das águas – Manaus (AM)
As águas escuras do Rio Negro encontram-se com as águas barrentas e paradas do Rio Solimões; elas correm lado a lado, sem se misturarem por cerca de 6 km, quando passam então a formar o Rio Amazonas. O encontro das águas é, sem dúvida, um admirável capricho da natureza.

Meeting of the waters – Manaus (AM)
The dark waters of the Negro River meet the muddy and slow-moving waters of the Solimões River. They run side by side, without mixing, for about 6 km, and then form the Amazon River. The meeting of the waters is, without doubt, an admirable special touch of Nature.

Águia-pescadora – Serra do Amolar – Pantanal (MS)

A árvore com galhos secos no Pantanal é o lugar ideal para a águia-pescadora formar seu ninho, sempre perto da água para facilitar a captura dos peixes e alimentar seus filhotes. A ave nidifica e aproveita-se dos recursos naturais que a Serra do Amolar, que abraça as águas do Rio Paraguai, tem a lhe oferecer.

Osprey – Amolar Highlands – Pantanal (MS)

The tree's dry branches, in the Pantanal, are the ideal place for the osprey to make its nest, always near the water, in order to facilitate catching fish to feed its chicks. This bird nests here and takes advantage of the natural resources offered by the Amolar Highlands, which include the waters of the Paraguay River.

Rio Guaporé – Costa Marques (RO)

Linha divisória entre Brasil e Bolívia, o Rio Guaporé banha Rondônia e proporciona-lhe um visual magnífico, onde águas e céu extremamente azuis, nuvens e luzes constroem um jogo de reflexos que nos deixa perplexos.

Guaporé River – Costa Marques (RO)

As the dividing line between Brazil and Bolivia, the Guaporé River cuts across the state of Rondônia, providing a magnificent vista, where extremely blue water and sky, clouds and light form a perplexing play of mirrored reflections.

Plantação de algodão – Mineiros (GO)

A plantação de algodão torna ainda mais agradável o clima ameno de Mineiros, um município localizado na Serra dos Caiapós, a qual tem uma das maiores altitudes brasileiras. Em Mineiros brotam inúmeras nascentes d'água, formando vários rios, dentre eles o Rio Araguaia.

Cotton field – Mineiros (GO)

The cotton field makes the pleasant climate in Mineiros even more mild. The city, localized in the Caiapós Highlands, is one of the highest in Brazil. Numerous water sources spring up at Mineiros, forming a number of rivers, including the Araguaia River.

Reserva Brasil-Holanda – Porto Seguro (BA)

No dossel da floresta, em uma cobertura contínua formada pelas copas das árvores que se tocam, observamos as suntuosas tonalidades de verde presentes nesta vegetação.

Brazil-Holland Reserve – Porto Seguro (BA)

In the continuous forest canopy, formed by the tops of the closely spaced trees, we observe the lush shades of green of this vegetation.

Rio Cuiabá – Pantanal (MT)
Mesmo na estação da seca, o Pantanal revela-nos todo o seu esplendor: as nuvens parecem dançar no céu extremamente azul e deliciar-se com os raios de sol que ainda incidem nas águas do Rio Cuiabá.

Cuiabá River – Pantanal (MT)
Even during the dry season, the Pantanal reveals all of its splendour: the clouds seem to dance in the deep blue skies and to delight in the late afternoon sunshine that reflects on the Cuiabá River.

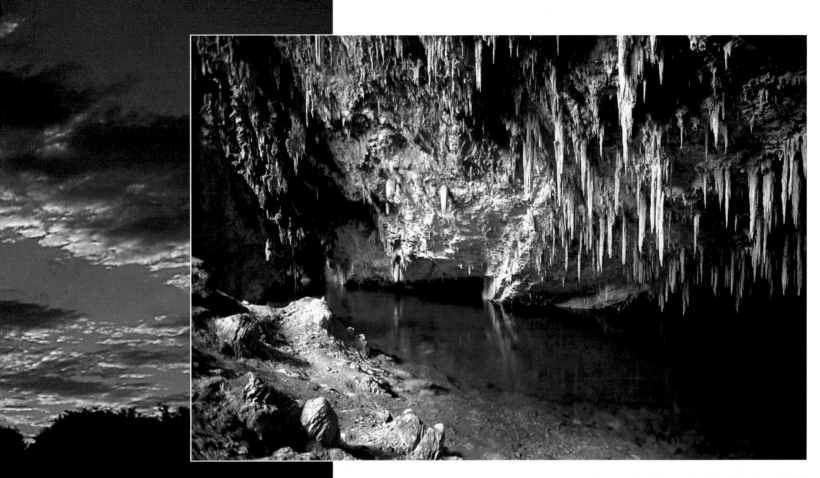

Gruta do Lago Azul – Bonito (MS)
Um monumento natural, a Gruta do Lago Azul é considerada a
maior galeria submersa do mundo. Contudo, o que deixa o visitante
perplexo não é só isso, mas também a impressionante cena com
que depara ao entrar na gruta: raios solares incidindo no lago e
conferindo-lhe um tom azul inigualável rodeado por rochas
calcárias de formas mágicas.

Cavern of the Blue Lagoon – Bonito (MS)
This monument of Nature, the Cavern of the Blue Lagoon, is the biggest
underground gallery in the world. However, that isn't all that leaves visitors
intrigued, but also the impressive scene one finds upon entering the cave: the
sun's rays strike the lagoon, giving it an unequalled shade of blue, surrounded
by limestone in magical shapes.

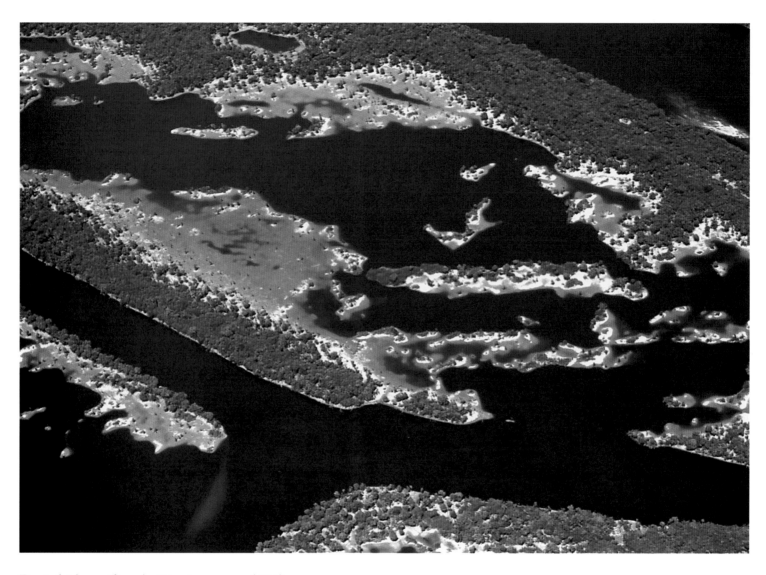

Bacia hidrográfica do Rio Amazonas (AM)

Tomado pela majestosa Floresta Amazônica, o estado do Amazonas é completamente recortado pela enorme bacia hidrográfica do rio homônimo e seu relevo é composto por estupendos igapós, várzeas e baixos platôs.

Amazon River basin (AM)

Dominated by the majestic Amazon Forest, the state of Amazonas is totally traversed by the river's enormous hydrographic basin by the same name and its topography consists of amazing igapós (lands that are under water during the rainy season), freshwater swamps and lowland plateaus.

Relâmpagos à noite – Bonito (MS)

Mesmo ao anoitecer, a cidade de Bonito não perde seu encanto: o céu arroxeado e os relâmpagos cortando essa imensidão fazem o espectador estremecer perante a grandeza do espetáculo minuciosamente apresentado pela Mãe Natureza.

Lightning at night – Bonito (MS)

Even at nightfall the city of Bonito is no less charming. The purple sky and the lightning that streaks across the immense expanse thrill spectators with the grandiose spectacle that is minutely staged by Mother Nature.

Represa de Capivari – Campina Grande do Sul (PR)
A Represa de Capivari é a única na região de Campina Grande do Sul, adornando o município com toda a beleza de seu conjunto paisagístico: suas águas calmas e seu entorno margeado por uma vegetação densa.

Capivari Reservoir – Campina Grande do Sul (PR)
The Capivari Reservoir is the only one in the region of Campina Grande do Sul, crowning the city with all the beauty of its inherent natural setting: its calm waters and the dense vegetation of its shoreline.

Algaroba – Taperoá (PB)

Taperoá abriga a Serra da Borborema, que torna a superfície da região acidentada e pedregosa, propiciando a proliferação da algaroba. A planta mágica, como é conhecida, é uma grande fonte de alimento para homens e animais, constituindo-se em importante fator de desenvolvimento para as regiões áridas e semiáridas do planeta.

Algaroba – Taperoá (PB)

Taperoá is home to the Borborema Highlands that give the region an uneven and rocky surface, where the algaroba flourishes. The magical plant, as it is called, is a rich source of food for humans and animals, and is an important factor for the development of the Earth's arid and semi-arid regions.

Estação Ecológica do Taim (RS)
Que cores são estas que brilham no céu da Estação Ecológica do Taim, em um entardecer fascinante, que nos mostra a dimensão do céu e faz com que nosso olhar perca-se neste horizonte infinito?

Taim Ecological Station (RS)
What colors are these that shine in the sky over the Taim Ecological Station, on a fascinating late afternoon, showing us the dimensions of the heavens and drawing our eyes off into this infinite horizon?

Mata de Igapó – Arquipélago das Anavilhanas – Floresta Amazônica (AM)

Anavilhanas é o maior arquipélago fluvial do mundo. Formado por cerca de 400 ilhas dispostas em forma de corrente, abriga complexos e delicados ecossistemas amazonenses. Durante a vazante das águas, as ilhas revelam esplêndidas praias e canais que entrecortam toda a região como uma opulenta malha.

Flood season forest – Anavilhanas Archipelago – Amazon Forest (AM)

Anavilhanas is the biggest archipelago in the world, formed by around 400 islands in the shape of a necklace, with complex and delicate Amazon ecosystems. In the season when the flood waters recede, the islands reveal splendid beaches and channels that cut through the entire region, like a showy woven tapestry.

Praia de Pitinga – Arraial d'Ajuda (BA)
A Praia de Pitinga, esta estupenda enseada de ondas fortes e azul-esverdeadas, é uma das praias mais procuradas do Arraial d'Ajuda. Ela guarda maravilhosos recifes de corais, onde o Atlântico, extasiado pela grandeza da mata que se levanta à sua frente, derrete-se em um lago que ninguém se cansa de contemplar.

Pitinga Beach – Arraial d'Ajuda (BA)
Pitinga Beach, this amazing cove with its heavy blue-green waves, is one of the most popular beaches of Arraial d'Ajuda.
It has marvelous coral reefs, where the Atlantic Ocean, in extase over the grandeur of the mata that rises up before it, pours into a lake that no one tires of observing.

Rio Paraguai – Pantanal (MS)

Pequenas casas no meio da imensidão azul do Rio Paraguai e do verde da vegetação do Pantanal, transformando o homem em um ser minúsculo diante da grandeza deste espetáculo deslumbrante.

Paraguay River – Pantanal (MS)

Small homes in the midst of the vast blue of the Paraguay River, that invades the green vegetation of the Pantanal and makes human beings into minute elements of this grand and breathtaking spectacle.

Pinhas – Lapa (PR)

As pinhas do pinheiro-do-paraná abrem-se como flores. Margaridas de pétalas-pinhões, que enfeitam os campos frios da região e atraem esquilos, os quais ajudam a plantar suas sementes, espalhando essa araucária e, assim, assegurando a preservação da espécie.

Pine cones – Lapa (PR)

The cones from the Paraná Pine open like flowers. Daisies with cone petals adorn the region's cold fields and attract squirrels, which help to plant the seeds, spreading the araucária everywhere, what preserve this species.

Pinheiro-do-paraná – Lapa (PR)

Este entardecer nos seduz. Uma cena fascinante onde o sol que ilumina o Paraná reverencia a araucária, símbolo da região. Uma dança de cores e formas em um instante em que o tempo é suspenso e o deslumbramento toma conta do ar.

Paraná Pine – Lapa (PR)

What an alluring late afternoon! It is a fascinating scene where the sunlight pays homage to the araucária, which is the symbol of the region. A ballet of colors and shapes at a moment when time is suspended and our sense of wonder fills the atmosphere.

Passo Fundo (RS)
As plantações de aveia e soja ocupam os campos de Passo Fundo e evidenciam a face agrária da "Capital Nacional da Literatura".

Passo Fundo (RS)
The fields of oats and soybeans spread over the countryside in Passo Fundo and display the agrarian face of the "Nation's Literature Capital".

Baía da Babitonga e Ilha de São Francisco do Sul (SC)
Os azuis desta cena da Baía da Babitonga, carregada de suavidade, traz-nos serenidade e paz de espírito para desfrutar toda a beleza que o Canal do Palmital, a Ilha de São Francisco do Sul e as 12 ilhas da baía têm a nos oferecer.

Babitonga Bay and São Francisco do Sul Island (SC)
The shades of blue in this softly-lit scene of Babitonga Bay bring us a sense of serenity and peace of mind, for enjoying all of the beauty that the Palmital Channel, São Francisco do Sul Island, and the bay's 12 islands have to offer.

Arara-azul-grande – Pantanal (MS)
A beleza da maior arara do mundo e o azul de suas penas é hipnotizante.

Large blue macaw – Pantanal (MS)
The beauty of the biggest macaw in the world, with its brilliant blue feathers, is hypnotizing.

Pantanal (MS)
O amanhecer no Pantanal revela-nos toda a sua aura fantástica, seduzindo-nos e incitando-nos a conhecer mais sobre esses tons que parecem ter sido pincelados pelo mais talentoso dos artistas plásticos.

Pantanal (MS)
Sunrise on the Pantanal reveals its fantastic aura, alluring and inducing us to see more of these color shades that seem to be painted by the most talented of all artists.

Cachoeira do Cafundó – Parque Nacional de Ubajara (CE)

A imponente Cachoeira do Cafundó é uma das principais atrações do Parque Nacional de Ubajara. Localizada no riacho Bela Vista, afluente do Rio Ubajara, oferece uma excelente oportunidade para se refrescar em sua piscina natural, além da admirável vista do parque.

Cafundó Waterfall – Ubajara National Park (CE)

The majestic waterfall is one of the main attractions in Ubajara National Park. Located on the Bela Vista River, a tributary of the Ubajara River, it provides an excellent opportunity to refresh one's self in its natural pool, as well as a wonderful view of the park.

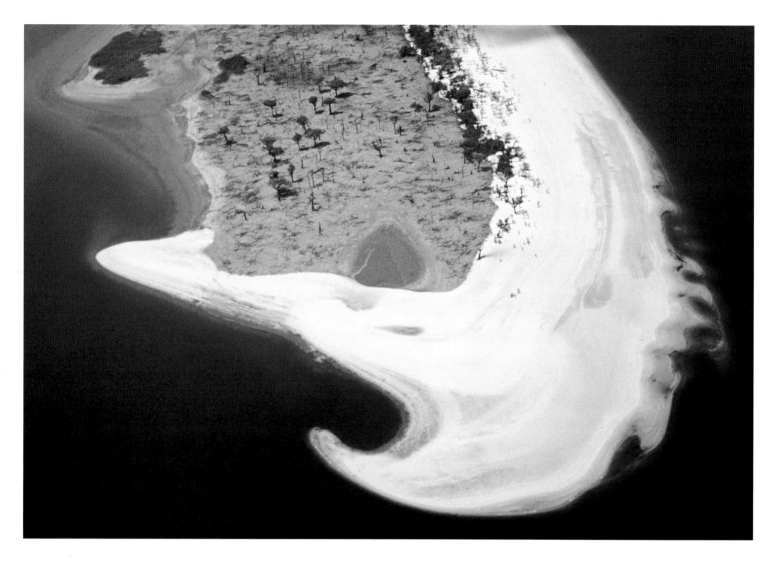

Rio Negro – Amazônia (AM)

A Amazônia enobrece-se com os fenômenos da natureza: a areia alva avança sobre o leito do Rio Negro, formando um grandioso contraste com as águas escuras durante a vazante do rio, que é o segundo maior do mundo em volume de água.

Negro River – Amazônia (AM)

The Amazon is enobled by natural phenomena: the white sands reach out in the bed of the Negro River, forming a gorgeous contrast with the dark waters, during the season when the flood waters recede in this river, which ha the second largest volume of water in the world.

Ribeirão Bonito (SP)

A cultura de cana-de-açúcar, tradicional na região, desenha o solo de Ribeirão Bonito, transformando os canaviais do interior do estado de São Paulo em um quadro perfeitamente delineado.

Ribeirão Bonito (SP)

Sugarcane plantations, seen throughout the region, leave their design around Ribeirão Bonito, transforming the fields in the interior of the state of São Paulo into a design with perfectly planted lines.

Beija-flor-tesoura – Ilhabela (SP)
O Tesourão, como é conhecido este lindo beija-flor de cabeça e pescoço azuis, com plumagem verde-escuro brilhante, aproveita-se do néctar das flores de Ilha Bela, reduto de infinitas belezas naturais.

Swallow-tailed hummingbird – Ilhabela (SP)
The Tesourão, as this gorgeous hummingbird is called in Brazil, with its blue head and neck and plumage a brilliant dark green, enjoys the nectar of the flowers of Ilha Bela (Beautiful Island), a refuge of infinite natural beauty.

Baía de Guaratuba – Guaratuba (PR)

Segunda maior do estado, a Baía de Guaratuba, com sua beleza exuberante composta por manguezais, ilhas e rios, que nela desaguam, atrai pescadores para desfrutar de suas águas e seus peixes. É pacífico o convívio do homem com esta natureza rica em fauna e flora.

Guaratuba Bay – Guaratuba (PR)

Guaratuba is the state's second largest bay, with its expansive beauty consisting of mangroves, islands and rivers, and it attracts fishermen to its productive waters. Human beings and Nature, with its wealth of flora and fauna, peacefully coexist.

Lagoas e baías – Pantanal (MS)

Observando toda essa graciosidade da integração das águas com a vegetação, é fácil entender a importância desse complexo para a vida e por que a Unesco considera o Pantanal um Patrimônio Natural Mundial e uma Reserva da Biosfera.

Lagoons and coves – Pantanal (MS)

Upon observing the graceful integration of water and vegetation, it is easy to understand the importance of this biosystem for all life and why Unesco declared the Panantal a World Natural Heritage and a Biosphere Reserve.

Baleia-franca – Imbituba (SC)
Imbituba é conhecida como a capital brasileira das baleias, graças aos esforços do Projeto Baleia Franca em prol desta interessante espécie marítima de corpo totalmente negro com uma mancha branca na barriga e que pode ultrapassar os 17 m de comprimento.

Right whale – Imbituba (SC)
Imbituba is known as the Brazilian whale capital, due to the efforts of the Right Whale Project in behalf of this interesting maritime species, with its totally black body and a white spot on its belly. It can grow to over 17 m long.

Cascata do Caracol – Canela (RS)
Envolta por mata fechada e formada por um arroio, a Cascata do Caracol despenca por rochas basálticas em uma queda livre de 131 m, concedendo-nos uma imagem deslumbrante e inesquecível!

Caracol Waterfall – Canela (RS)
Surrounded by dense forest and formed by an arroyo, Caracol Waterfall pours over basalt rocks in a free fall of 131 m, granting us a marvelous and unforgettable view!

Rio Negro – Amazônia (AM)

A sensação quando se está em plena Amazônia, onde o rio, a praia, a floresta e o céu integram-se e mesclam-se, é de que o homem é um ser minúsculo e ínfimo perante a imensidão da região, fazendo com que reconheçamos a importância das maravilhas da natureza.

Negro River – Amazônia (AM)

The feeling you have in the midst of the Amazon, where the river, the beach, the forest and the sky blend into one, is that human beings are tiny and infinitissimal when compared to the vastness of the region and the importance of the natural wonders.

Rio Paraguai – Serra do Amolar – Pantanal (MS)

O trajeto do Rio Paraguai em meio ao Pantanal é muito sinuoso e, consequentemente, sua velocidade é lenta, como se as águas do rio quisessem desfrutar de toda a paisagem pantaneira e nela prolongar sua estadia.

Paraguay River – Amolar Highlands – Pantanal (MS)

The course of the Paraguay River through the Pantanal is exceedingly winding and, consequently, it flows slowly, as though the waters of the river want to enjoy all of the Pantanal scenery, staying as long as possible.

Carnaúbas – Caucaia (CE)

Carnaúba, a árvore símbolo do Ceará, é conhecida também como a árvore da vida. Motivo de orgulho e satisfação para os nativos do sertão, ela oferece ao homem raízes medicinais, frutos ricos em nutrientes e boa madeira para construção de casas.

Carnauba trees – Caucaia (CE)

The carnauba is the state tree of Ceará, and is also known as the tree of life. It is a reason for pride and satisfaction of the natives of the backlands, because it provides people with medicinal roots, fruits rich in nutrients, and good building wood.

Bromélia – Parque Estadual Carlos Botelho (SP)
Nativa do Brasil, esta exótica planta é conhecida como bromélia
zebrada (*Vriesea hieroglyphica*), uma espécie que cresce rapidamente
e demora a florescer; contudo, a espera de anos por inflorescências
surpreende-nos, pois elas chegam até 90 cm de altura e de diâmetro.

Bromeliad – Carlos Botelho State Park (SP)
This native exotic Brazilian plant is called bromélia-zebrada (Vriesea
hieroglyphica), *or King of the Bromeliads. The species grows quickly and
takes quite a long time to flower. But the years of waiting are crowned by
surprising flower heads, 90 cm tall by 90 cm wide.*

Cachoeira – Estância Mimosa – Bonito (MS)
O Rio Mimoso, que corta a fazenda Estância Mimosa, construiu em seu percurso, ao longo de milênios, um conjunto impressionante de cachoeiras, saltos e corredeiras que refresca a floresta por onde passa e encanta os turistas.

Rapids – Estância Mimosa – Bonito (MS)
The Mimoso River, which crosses the Estância Mimosa ranch, has built along its course, down through millennia, a grouping of impressive waterfalls and rapids that refresh the forest and enchant visiting tourists.

Biguá – Pantanal (MT)

Excelente mergulhador, o biguá alça voos e mergulha rápida e profundamente, deslocando-se sobre a água com grande fluidez para caçar suas presas prediletas: os peixes. Após o ataque, essa ave descansa e seca suas penas negras expondo-se ao sol com as asas abertas.

Cormorant – Pantanal (MT)

The cormorant is an excellent diver, quickly going deep from a steep dive, skimming over the water and dipping down to hunt its favorite prey, the fishes. After it attacks, the bird rests and dries its black legs, with its wings spread wide in the sun.

Carro de boi – Pantanal (MT)

Homem e bois adentram as águas pantaneiras no labor do dia a dia. Aqui não é mais o carro de boi que leva o homem ao seu destino, mas o homem que conduz seu minúsculo rebanho para que chegue a salvo na outra margem do rio.

Ox cart – Pantanal (MT)

Man and oxen enter the waters of the Pantanal on their daily work rounds. Here, it is no longer the ox cart that takes man to his destination, but man leads his tiny herd to arrive safely on the other side of the river.

Cânion de Itaimbezinho – Cambará do Sul (RS)
O Cânion de Itaimbezinho, do guarani "ita" (pedra) "ai'be" (afiada), parece ter sido esculpido minuciosamente pelas mãos divinas. A sensação que as enormes paredes rochosas propicia-nos é simplesmente indescritível.

Itaimbezinho Canyon – Cambará do Sul (RS)
Itaimbezinho Canyon, from the Guarany ita (stone) ai'be (honed), seems to be sculpted in great detail by divine hands. The sensation caused by the enormous rock walls is simply indescribable.

Ibitinga (SP)

O Rio Tietê, famoso por atravessar o estado e a cidade de São Paulo, espalha sua rede fluvial pela cidade de Ibitinga.
A estância turística destaca-se por ter um grande volume de água limpa e por sua flora hoje recuperada.

Ibitinga (SP)

The famous Tietê River crosses the state and city of São Paulo and spreads its flowing network through the city of Ibitinga.
The tourist region is outstanding for its huge volume of clean water and the flora that has been recuperated.

Praia da Pinheira (SC)

Uma das poucas praias de Santa Catarina que ainda desfruta de uma natureza exuberante e intocada. A Praia da Pinheira, com sua água em tons de verde e azul, reserva-nos pescarias, banhos de mar e muita paz.

Pinheira Beach (SC)

As one of the few beaches in Santa Catarina that still has a lush and practically untouched natural setting. Pinheira Beach, with its tranquil water in shades of green and blue, offers fishing, swimming and extraordinary peace.

Vila Real do Brejo de Areia – Areia (PB)

Patrimônio histórico, paisagístico e urbanístico nacional. Areia foi por muito tempo considerada a terra da cultura na Paraíba. Isso porque sempre abrigou inúmeras riquezas culturais nos seus museus e teatros, além de ser apreciada por esbanjar graciosidade em suas construções, que parecem formar uma cidade de bonecas.

Vila Real do Brejo de Areia – Areia (PB)

As a national historical, landscape and urban landmark, Areia was, for many years, considered the land of culture of the state of Paraíba. That was because it has always had numerous cultural works on display in its museums and theaters, as well as the abundant gracefulness of its buildings that seem to form a doll city.

Cavalo doméstico – Pantanal (MT)

A fauna e a flora formam, nas planícies do Pantanal, um local com paisagens de rara beleza e uma das maiores extensões de terra úmida contínua do planeta, banhada pela bacia do Rio Paraguai.

Tame horses – Pantanal (MT)

Flora and fauna form on the plains of the Pantanal, with its uniquely beautiful scenery and one of the largest continuous wetlands on Earth, in the Paraguay River basin.

Baía do Sancho – Fernando de Noronha (PE)
Considerada a praia mais bonita do Brasil, a Baía do Sancho é limitada por uma falésia acentuada. Com um mirante natural de onde se descortina a paisagem da região e águas límpidas de um azul esverdeado, a praia encanta quem por lá chega: seja pelo mar, em barcos que podem aproximar-se sem ferir os corais, pela escada natural encravada dentro de uma fenda na rocha, ou escalando as rochas a partir da praia vizinha.

Sancho Bay – Fernando de Noronha (PE)
Sancho Bay, considered to be the prettiest beach in Brazil, is set off by a steep cliff. From this natural lookout site, one can see the scenery of the region and its clear, blue-green waters. The beach allures visitors, whether from the ocean, in boats that can come in without damaging the coral, or from land on the natural stairway in an opening in the rock, or by climbing the rocks from a neighboring beach.

Chapada dos Veadeiros (GO)
A Chapada dos Veadeiros é conhecida não só por sua beleza composta por cachoeiras, cânions, cavernas, flora e fauna riquíssimas, mas também por um fato intrigante: segundo a Nasa, é a área com maior luminosidade vista da órbita da Terra.

Chapada dos Veadeiros (GO)
Chapada dos Veadeiros is known not only for its beauty, consisting of waterfalls, canyons, caverns, and a wealth of flora and fauna, but also for one intriguing fact: according to Nasa, it is the most illuminated area on Earth, seen from orbit.

Garopaba (SC)
A beleza da orla de
Garopaba é
fascinante! Digna de
ser cartão-postal
de Santa Catarina,
Garopaba, que em
guarani significa
enseada de barcos,
deleita-nos com seu
mar de águas azuis
e cristalinas e sua areia
clara e suave.

Garopaba (SC)

*The beauty of
Garopaba's shoreline is
fascinating! The city is a
worthy postcard for the
state of Santa Catarina.
In the Guarany
indigenous tongue,
Garopaba means boat
inlet. Its clear blue ocean
waters and bright soft
sand are delightful.*

Fazenda Primavera – Aporé (GO)

As temperaturas no cerrado são altas e mesmo com o cair da noite a região permanece extremamente quente. Diante desse espetáculo, não só a pele sente a temperatura, como também os olhos vibram com a magia de suas cores.

Primavera Ranch – Aporé (GO)

The temperatures in the bush country are high and even as night falls the region remains extremely hot. In this spectacle, not only one's skin feels the temperature, as well as one's eyes vibrate with the magic of its colors.

Ipê-amarelo – Formiga (MG)

O ipê-amarelo é considerado uma das árvores símbolo do Brasil. Podemos dizer que esta cena, especialmente, homenageia nossa bandeira, presenteando-nos com tons vibrantes e reluzentes de verde, amarelo e azul – retrato fiel da natureza brasileira.

Yellow Mimosa – Formiga (MG)

The ipê-amarelo (Yellow Mimosa) is one of the symbols of Brazil. We might say that this scene especially honors our flag, with the vibrant and brilliant shades of green, yellow and blue – a genuine tribute to Brazil's natural heritage.

O frade e a freira – Cachoeiro de Itapemirim (ES)
O frade e a freira são intrigantes formações rochosas de granito. Conta a lenda que naquela região viviam um frade e uma freira que se apaixonaram, mas como o amor deles era proibido, o Criador transformou-os em pedras para eternizar esse amor puro.

The friar and the nun – Cachoeiro de Itapemirim (ES)
The friar and the nun are intriguing granite formations. Legend has it that a friar and a nun lived in the region and fell in love, but since theirs was a forbidden love, the Creator transformed them into stone, in order to make this pure love eternal.

Painel (SC)

Somente as araucárias suportam as baixas temperaturas do inverno catarinense. Sua beleza resiste até mesmo à neve e à bruma que recobrem, em parte do ano, os campos verdejantes, atraindo turistas.

Painel (SC)

Only the araucárias (Paraná pines) can withstand the low winter temperatures of the state of Santa Catarina. Their beauty stands out from the snow and mist that covers the green fields during part of the year, attracting tourists.

Chapada dos Guimarães (MT)

A imensidão com que deparamos na Chapada dos Guimarães é estonteante. Este lugar privilegiado é praticamente um paraíso ecológico que atrai turistas do mundo todo, por também ser considerado o centro geodésico da América do Sul.

Chapada dos Guimarães (MT)

The vastness we find in the Chapada dos Guimarães is astounding! This privileged area is practically an ecological paradise that attracts tourists from all over the world, as the geodesic center of South America.

Morro Dois Irmãos – Fernando de Noronha (PE)
O cartão-postal mais conhecido de Fernando de Noronha, o Morro Dois Irmãos, é formado por duas ilhotas semelhantes, localizadas muito próximas da praia Cacimba do Padre, uma das maiores e mais famosas da ilha.

Two Brothers Hill – Fernando de Noronha (PE)
Morro Dois Irmãos (Two Brothers Hill) is the best known postcard view of Fernando de Noronha, and is formed by two similar islets close to Cacimba do Padre Beach, which is one of the island's biggest and most famous beaches.

Cataratas do Iguaçu – Parque Nacional do Iguaçu (PR)
É simplesmente impossível estar diante das Cataratas do Iguaçu e não ficar estupefato. Dezoito quilômetros antes de juntar-se ao Rio Paraná, o Iguaçu – água grande, em tupi-guarani –, vence um desnível do terreno e precipita-se em quedas de 65 m de altura em média, em uma largura de 2.780 m; assim formam-se as incríveis cataratas.

Iguaçu Falls – Iguaçu National Park (PR)
It is simply impossible to witness Iguaçu Falls and not be stunned. Eighteen kilometers before joining the Paraná River, the Iguaçu ("big waters" in Tupy-Guarany) changes levels, pouring over numerous falls, averaging 65 m high, along a width of 2,780 m, forming the incredible falls.

Pinheiro-do-paraná – Lapa (PR)

Adotada como um dos símbolos do estado do Paraná, a araucária é por isso também conhecida como pinheiro-do-paraná. Nativas da Mata Atlântica e encontradas principalmente na região sul do País, essas árvores têm uma estrutura física diferente, que desafia os macacos que queiram subir em seus galhos e alcançar seus pinhões.

Paraná Pine – Lapa (PR)

One of the symbols of the state of Paraná, the araucária is also known as the Paraná Pine. Native to the Atlantic Rain Forest and found mainly in the southern region of the country, these trees have a different physical structure that challenges the monkeys who want to climb them and eat the pine cones.

Fazenda Primavera – Aporé (GO)

Em Goiás, a estação das chuvas é bem marcada. No período de outubro a março o céu acinzenta-se de repente e as águas despencam dele, irrigando o solo do cerrado e contribuindo para manter a riqueza natural do segundo maior bioma brasileiro.

Primavera Ranch – Aporé (GO)

In the state of Goiás, the rainy season is very distinct. From October to March, the sky is gray and rain suddenly pours down, irrigating the soil of the bush country and contributing to maintaining the natural weath of the second largest Brazilian biome.

Dunas de Genipabu – Natal (RN)
Imensas dunas e maravilhosas lagoas de água-doce formam um dos mais conhecidos cartões-postais do Rio Grande do Norte. Genipabu é uma região de rara beleza que nos propicia uma sensação de deslumbramento.

Genipabu Dunes – Natal (RN)
Immense dunes and wonderful freshwater lagoons form one of the best known postcard pictures of the state of Rio Grande do Norte. The rare beauty of the Genipabu region strikes us with a sense of wonder.

Lagoa Bonita – Estação Ecológica Águas Emendadas (DF)
Os raios solares riscam o céu e iluminam as pequenas árvores e os buritis, que servem de refúgio aos animais silvestres da região e margeiam a Lagoa Bonita, única lagoa natural do Distrito Federal.

Pretty Lake – Águas Emendadas Ecological Station (FD)
The sunshine bears down out of the sky and lights up the small trees and the burity palms that serve as a refuge for the region's wild animals and line up around Lagoa Bonita (Pretty Lake), which is the only natural lake in the Federal District.

Torres (RS)

Um lindo e abrupto encontro da terra com o mar, as falésias de Torres são escarpas verticais com ondas aos seus pés, que desgastam a costa ao se chocarem com ela.

Torres (RS)

A striking and abrupt meeting of the land with the sea. The Torres Cliffs are vertical escarpments with waves wearing away at the coast, at their feet.

Olivença (BA)

Essa linda praia foi a recepção montada pela natureza aos primeiros barcos europeus que chegaram a terras brasileiras em 1500. Naquela época, era morada dos índios Tupinambás. Hoje, a prodigiosa praia continua fomentando a miscigenação e o encontro dos povos ao atrair visitantes provenientes de todo o mundo.

Olivença (BA)

This pretty beach was the reception area set up by Nature for the first European ships that arrived in Brazil in 1500. At that time, it was the home of Tupinambá Indians. Today, the expansive beach continues to promote miscegination and the meeting of peoples, by attracting visitors from all over the world.

Petrópolis (RJ)

Petrópolis, a Cidade Imperial, está no topo da Serra da Estrela, a 809 m acima do mar. A cidade brinda-nos com seu clima ameno, suas construções históricas e a abundante vegetação, o que lhe concede grandes atrativos turísticos.

Petrópolis (RJ)

The Imperial City of Petrópolis is at the top of the Estrela Highlands, 809 m above sea level. The city rewards us with its pleasant climate, historic buildings, and abundant vegetation, all of which are great tourist attractions.

Ilha Paraíso – Santa Cruz Cabrália (BA)
A história de Santa Cruz Cabrália confunde-se com a do Brasil; afinal esta baía foi o primeiro ancoradouro dos descobridores portugueses, segundo os relatos de Pero Vaz de Caminha. E o mais extraordinário disso é que, até hoje, visitantes de todo o mundo são seduzidos pela suntuosidade da natureza desta terra.

Paraíso Island – Santa Cruz Cabrália (BA)
The history of Santa Cruz Cabrália blends with that of Brasil. This bay was the first anchorage of the Portuguese discoverers, acording to reports by Pero Vaz de Caminha. And the most extraordinary part is that, yet today, visitors from all over the world are drawn by lush natural setting of these lands.

Descalvado (SP)

O laranjal, tão minuciosamente cuidado, parece brincar com nosso olhar. As laranjeiras formam desenhos infinitos...

Descalvado (SP)

This carefully managed orange grove seems to play with our vision. The orange trees form infinite designs...

Dourado (SP)

O Parque do Lago, criatório conservacionista da fauna e flora brasileiras cadastrado pelo Ibama, mostra-nos a convivência pacífica entre homem e natureza, baseada na preservação e no respeito ao meio ambiente.

Dourado (SP)

Parque do Lago (Lake Park), which is a conservationist nursery for Brazilian flora and fauna and is registered with Ibama (Brazilian Environmental Agency), showcases the peaceful acquaintance between human beings and Nature, based on the preservation and respect of the environmental.

Baía de Guaraqueçaba (PR)

O litoral do Paraná é rico em peixes e a pesca já é uma atividade cotidiana da região de Guaraqueçaba. A maioria de seus visitantes adentra a área preservada em busca de ótimas oportunidades para a pesca esportiva.

Guaraqueçaba Bay (PR)

The coast of Paraná has an abundance of fish, and fishing is a daily activity in the Guaraqueçaba region. Most visitors come to the preserved area in search of sport fishing sites.

Itirapina (SP)

O azul muito escuro, quase negro, das águas da Represa do Lobo – a Broa – é salpicado pelas manchas da mata de galeria natural em solos mais úmidos, formando um grande contraste com as pinceladas de verde fluorescente da vegetação do cerrado.

Itirapina (SP)

The dark slate-blue waters of Lobo Reservoir (Broa) are speckled with spots of wetlands floating vegetation, forming a distinctive contrast with the brush strokes of florescent green of the bush country.

Angra dos Reis (RJ)

Um paraíso ecológico com oito baías, 365 ilhas e mais de 2.000 praias que contrastam com um relevo acidentado, coberto pelos diversos tons de verde da Mata Atlântica. O mar manso, montanhas e cascatas, que se harmonizam perfeitamente, fazem de Angra dos Reis uma das regiões mais belas do mundo.

Angra dos Reis (RJ)

An ecological paradise with eight coves, 365 islands, and over 2,000 beaches that contrast with the uneven terrain, covered by several shades of green of the Atlantic Rain Forest. The calm sea mountains, and waterfalls is in perfect harmony, that make Angra dos Reis one of the most beautiful regions in the world.

Ilhabela (SP)

O anoitecer chega e envolve as enormes rochas de Ilhabela, que tão harmonicamente dialogam com o ar e transformam a pessoa que as visita em um ser minúsculo diante da grandiosidade da natureza.

Ilhabela (SP)

Nighttime arrives and wraps around the huge rocks of Ilhabela, that harmoniously dialog with the air and make visitors mere tiny onlookers of such a grandiose natural setting.

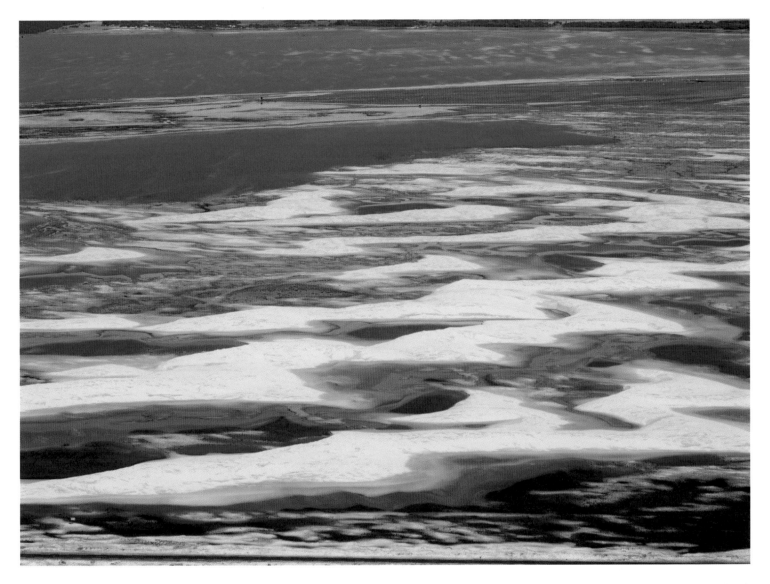

Tramandaí (RS)

Mar, areia e grama misturam-se como se a praia fosse uma palheta de tintas e texturas que interagem harmonicamente em Tramandaí, considerada a capital das praias do Rio Grande do Sul.

Tramandaí (RS)

Ocean, sand and grass blend together, as though the beach were a palette of paints and textures that harmoniously interact in Tramandaí, which is known as the capital of the beaches in the state of Rio Grande do Sul.

Rio Juruá – Cruzeiro do Sul (AC)

O Rio Juruá é o principal canal de comunicação dos municípios vizinhos e constitui um dos limites naturais do Parque Nacional da Serra do Divisor. Este rio de planície é marcadamente sinuoso e, além de servir como fonte de alimento e trabalho para os pescadores da região, abriga fósseis em suas margens.

Juruá River – Cruzeiro do Sul (AC)

The Juruá River is the main communication channel for neighboring municipalities and constitutes one of the natural borders of Divisor Highlands National Park. This plains river is especially sinuous and, besides serving as a food and work source for the region's fishermen, it also has fossils on its banks.

Peão pantaneiro – Refúgio Ecológico Caiman – Pantanal (MS)
Conhecer um pouco a vida cotidiana do Pantanal é aproximar-se da cultura e dos costumes dos peões, que ali ganham a vida criando gado em fazendas pantaneiras de pecuária.

Pantanal cowboys – Caiman Ecological Refuge – Pantanal (MS)
Becoming familiar with some of the daily life of the Pantanal is to come in contact with the culture and the customs of the ranch hands who earn their living raising cattle on Pantanal ranches.

Ponte de Porto Alencastro – Rio Paranaíba – Divisa MG-MS

A ponte suspensa de Porto Alencastro, além de enfeitar o curso do Rio Paranaíba, que passa sob ela, oferece à região banhada grande desenvolvimento e promove diversas atividades econômicas entre Minas Gerais e Mato Grosso do Sul, por meio do contato entre os municípios de Iturama e Rio Paranaíba, respectivamente.

Port Alencastro Bridge – Paranaíba River – MG-MS border

The Port Alencastro suspension bridge not only beautifies the course of the Paranaíba River that flows under it, but also offers great development opportunities to the region and promotes a variety of economic activities between the states of Minas Gerais and Mato Grosso do Sul, through contact between the cities of Iturama and Rio Paranaíba, respectively.

Sumaúma – Parque Estadual Sumaúma – Manaus (AM)

A sumaúma, uma árvore frondosa, era considerada sagrada pelo povo maia – uma civilização mesoamericana – e pelas comunidades que vivem na floresta amazônica. Esta árvore dá nome ao parque estadual da zona norte de Manaus, que acolhe, em seus 51 hectares de área verde, diversas espécies de sumaumeiras.

Sumaúma – Sumaúma State Park – Manaus (AM)

The sumaúma, a spreading tree, is sacred to the Mayans – an Mesoamerican civilization – and to people who live in the amazon forest. This tree lends its name to the state park on the north side of Manaus that has several species of sumaúma in its 51 hectare area.

Garça-vaqueira – Serra do Amolar – Pantanal (MT)
Vagando sempre pelos pastos, a garça-vaqueira, para se alimentar, segue o rebanho em busca dos insetos espantados pelo movimento dos bois. É a natureza manifestando sua relação de harmonia.

Cattle egret – Amolar Highlands – Pantanal (MT)
The cattle egret customarily follows the herd around the pastures, in search of insects to eat that are startled into flight by the cattle's movement in order to eat. This is Nature showing how it lives in harmony.

Mata de cocais – Parque Nacional de Ubajara (CE)

A Mata de cocais é uma floresta de transição entre a caatinga e o cerrado, encontrada no nordeste brasileiro.
É conhecida por suas atividades extrativas nas quais se obtêm o óleo de babaçu e a cera de carnaúba.

Mata de cocais – Ubajara National Park (CE)

Mata de cocais is a transition forest between the caatinga and the bush country, found in northeastern Brazil.
It is known for its production of babassu oil and carnauba wax.

Serra da Neblina (AM)

Os olhos se confundem. Será ilusão? Não se sabe se há uma ou duas montanhas. Mas a dúvida, na verdade, é se o que se vê é real ou não... Uma grama tão verdinha, montanhas azuladas. Será uma pintura ou a natureza brasileira é realmente mágica?

Neblina Highlands (AM)

The view is confusing. Is it an illusion? Are there one, or two, mountain ranges? But the big question is whether what we're seeing is real or not... The grass is so green, the mountains so blue. Could it be a painting, or is Brazilian Nature truly magical?

Cachoeira Véu de Noiva – Parque Nacional do Itatiaia (RJ)

O Parque Nacional do Itatiaia, o mais antigo do Brasil, justifica seu nome: Itatiaia, penhasco cheio de pontas, propicia algumas cenas inesquecíveis, como a da Cachoeira Véu de Noiva, com sua queda d'água de 40 m de altura, proveniente do Rio Maromba.

Bridal Veil Falls – Itatiaia National Park (RJ)

Itatiaia National Park is the oldest one in Brazil. It is well named: Itatiaia means "craggy cliff" and at several points, there are unforgettable scenes, like Bridal Veil Falls, with its 40 m drop, coming form the Maromba River.

Maresias (SP)

Com praias de areia branca e ondas ideais para o surfe, Maresias guarda as belezas de um pedacinho da Mata Atlântica e convida-nos a um contato revigorante com a água do mar, a mata e a terra.

Maresias (SP)

With its white sand beach and waves that are ideal for surfing, Maresias shelters the beauty of a small piece of the Atlantic Rain Forest and invites us for a renewing contact with the ocean, the forest, and the land.

Arara-canindé – Céu do Pará

A arara-canindé é majestosa, voando nos céus da América Central e do Brasil. Com suas penas azuis, amarelas e verdes, chega a lembrar nossa bandeira nacional.

Canindé macaw – In the skies of the state of Pará

Canindé macaw fly majestically in the skies of Central America and Brazil. With its feathers are blue, yellow and green, arrive to remember our national flag.

Rio Paraguai – Serra do Amolar – Pantanal (MS)

As águas invadiram os campos verdes ou a vegetação invadiu o rio? Elementos orquestrados em plena harmonia, longe de qualquer conflito, convivendo em perfeita paz.

Paraguay River – Amolar Highlands – Pantanal (MS)

Does the water invade the green fields or does the vegetation invade the river? Elements are orchestrated in perfect harmony, far from conflicts, peacefully coexisting.

Fotógrafo
Photographer

Haroldo Palo Jr.

O brasileiro Haroldo Palo Jr. é fotógrafo naturalista e documentarista há muitos anos. Formado em Engenharia Eletrônica e Computação pela EESC-USP, dedica-se a registrar a fauna e a flora brasileiras e da Antártida.

Fez oito expedições à Antártida, junto ao Programa Antártico Brasileiro. Como resultado deste trabalho, publicou o livro *Antártida – Expedições Brasileiras*, além de ter realizado um vídeo sobre os dez anos de atividades do Brasil na Antártida.

Seu trabalho é utilizado por instituições mundiais de preservação ambiental, como WWF, Conservation International, Fundação O Boticário de Proteção à Natureza, SOS Mata Atlântica, entre outras.

Participou da expedição que Jacques Cousteau realizou no Brasil nos anos 1980, liderando uma das equipes durante a Expedição à Amazônia, organizada pela Cousteau Society. Suas fotos também integraram o livro *The Amazon Expedition*, editado pela Fundação Cousteau, e os filmes realizados naquela expedição.

Nos anos 1990, foi exibido no National Geographic Channel um documentário sobre ele, intitulado *Brave Brazilian*. Um de seus trabalhos de maior destaque foi a produção da parte brasileira do documentário *Planeta Terra*, para a BBC, que no Brasil foi veiculado pelo canal a cabo Discovery Channel.

Fotógrafo premiado, recebeu, em 1998, o prêmio de melhor vídeo de Comunicação externa – Aberje Brasil 98, com o documentário *Água – Mãe da Vida*, produzido para a fundação O Boticário de Proteção à Natureza.

Por meio de palestras e exposições fotográficas, divulga nas escolas e para o público em geral os problemas de conservação do meio ambiente e fornece informações sobre ecologia, ecossistemas e biologia dos animais e plantas mais ameaçados de extinção.

Haroldo Palo Jr. is a Brazilian who has photographed and produced documentaries on Nature for many years. He has degrees in electronic engineering and computers from EESC-USP and dedicates his time to recording the flora and fauna of Brazil and Antarctica. Palo has been on eight expeditions to Antarctica, with the Brazilian Antarctica Program. The result of this work was the publication of the book Antarctica – Brazilian Expeditions, plus a video about the 10-year history of the activities of Brazil on the icebound continent.

His work is used by environmental protection institutions, worldwide, such as: WWF, Conservation International, and Brazil's O Boticário de Proteção à Natureza Foundation, and SOS Mata Atlântica, among others.

He participated in one of the teams of the Amazon Expedition, organized by the Cousteau Society and led by Jacques Cousteau, in Brazil, in the '80s. His photos were also included in the book The Amazon Expedition, which was published by the Cousteau Foundation, and in the films made during the exploration project.

In the '90s, a documentary was shown about him on the National Geographic Channel, entitled Brave Brazilian. One of his most outstanding works was the production of the Brazilian part of the Planeta Terra documentary for the BBC, which was shown in Brazil by the Discovery Channel.

In 1998, this award-winning photographer received the prize for the best External communication – Aberje Brazil 98 video, for the documentary Água – Mãe da Vida (Water – Mother of Life), produced for the O Boticário de Proteção à Natureza Foundation.

By means of speeches and photography exhibits, he goes to the schools and to the public in general to talk about the problems involved in protecting the environment and to give information regarding ecology, ecosystems, and the biology of the plants and animals that are the most endangered, in terms of extinction.

Impresso em São Paulo, SP, em dezembro de 2010, em papel couché fosco 150 g/m²,
nas oficinas da Gráfica Edições Loyola. Composto em Goudy, corpo 12 pt.

Não encontrando esta obra nas livrarias,
solicite-a diretamente à editora.

Escrituras Editora e Distribuidora de Livros Ltda.
Rua Maestro Callia, 123 – Vila Mariana – São Paulo, SP – 04012-100
Tel.: (11) 5904-4499 / Fax: (11) 5904-4495
escrituras@escrituras.com.br
vendas@escrituras.com.br
imprensa@escrituras.com.br
www.escrituras.com.br